rom

Dominiqu

Sous la direction de

Yvon Brochu

Camille Bouchard

Des étoiles sur notre maison

Illustrations

Paule Thibault

Données de catalogage avant publication (Canada)

Bouchard, Camille
Des étoiles sur notre maison
(Roman rouge)
Pour enfants de 6 ans et plus

ISBN 2-89512-324-1

I. Thibault, Paule. II. Titre.

PS8553.O756D463 2003 jC843'.54 C2002-941983-2
PS9553.O756D463 2003
PZ23.B68De 2003

Dépôts légaux : 3e trimestre 2003
Bibliothèque nationale du Québec
Bibliothèque nationale du Canada
Bibliothèque nationale de France

ISBN 2-89512-324-1
Imprimé au Canada

10 9 8 7 6 5 4 3 2 1

Direction de la collection :
Yvon Brochu, R-D création enr.
Direction artistique et graphisme : Primeau & Barey
Révision-correction :
Martine Latulippe

Dominique et compagnie
300, rue Arran
Saint-Lambert (Québec) J4R 1K5
Téléphone : (514) 875-0327
Télécopieur : (450) 672-5448
Courriel :
dominiqueetcie@editionsheritage.com
Site Internet :
www.dominiqueetcompagnie.com

Nous remercions le Conseil des Arts du Canada de l'aide accordée à notre programme de publication, ainsi que la SODEC et le ministère du Patrimoine canadien.

Gouvernement du Québec –
Programme de crédit d'impôt pour l'édition de livres – SODEC

À Sarah

Chapitre 1

Des bruits sur le toit

Mathilde et Louis habitent un village loin des grandes villes. Un endroit champêtre et tranquille, avec une église au milieu. Le long des rues, petites mais propres, se côtoient les maisons bordées de grands jardins remplis d'arbres et de fleurs. Une rivière coule sur son pourtour et un joli pont la traverse. Ce village ressemble à tous les autres villages, avec un boulanger, un boucher, un curé, un policier, un

professeur… et même un personnage un peu original que tout le monde appelle l'idiot du village.

Les parents de Mathilde et Louis travaillent en forêt pendant tout l'été. Ils reviennent à la maison les fins de semaine seulement. Le reste du temps, les enfants sont gardés par leur grand-mère.

En ce beau jour de juin, Mathilde et Louis marchent vers l'école.

– Ah, si l'année scolaire peut se terminer ! soupire Mathilde.

– Oh oui ! approuve Louis. J'ai hâte de jouer dehors toute la journée.

– On ne devrait jamais aller à l'école, dit Mathilde.

– Papa et maman, eux, ne devraient jamais travailler, renchérit Louis.

Tous les deux soupirent de concert, mais ils savent bien qu'ils doivent suivre les recommandations

de leurs parents, participer activement à leurs cours et faire leurs « grands ».

Ce jour-là, pendant la leçon de français, un petit tremblement de terre se fait ressentir dans tout le village. Pas un tremblement qui fait s'écrouler les maisons ; juste un petit tremblotement du sol qui secoue les livres sur les rayons de la bibliothèque et fait tomber la

craie posée sur le bord du tableau. Un tremblement assez fort toutefois pour décoiffer madame Freluche, la directrice de l'école. Elle court de classe en classe avec une petite mèche de cheveux qui lui tombe sur les yeux. Elle essaie sans arrêt de la replacer en soufflant dessus. Elle fait rire tous les élèves. Comment faire autrement : la directrice est si bien peignée, d'habitude… et si sévère !

Mathilde et Louis en rient encore le soir, sur le chemin du retour. Mais le tremblement de terre leur réservait une surprise bien plus étrange…

Le soleil se lève à peine. Louis et Mathilde sont en train de préparer leur déjeuner. Tout à coup, un bruit se fait entendre. Comme si

quelque chose venait de tomber sur le toit de la maison.

– Qu'est-ce que c'est ? demande Mathilde, intriguée.

Louis hausse les épaules sans répondre. Un second bruit, semblable au premier, le trouble davantage.

– On dirait des oiseaux qui viennent se cogner contre la maison, déclare-t-il avant de se remettre à tartiner son pain de beurre d'arachide.

Un troisième bruit fait sortir Mathilde de la maison, histoire de vérifier ce qui se passe. Louis la suit aussitôt.

Le frère et la sœur restent figés devant le spectacle : plein d'étoiles sont tombées sur leur maison ! Le sol en est couvert. Il y en a partout : sur la pelouse, dans l'entrée du garage, sur la vieille balançoire... Des étoiles qui ne brillent pas. On dirait plutôt des

étoiles de mer. Grandes comme la main d'un adulte, elles ont chacune huit branches toutes brunes. Mathilde en prend une entre ses doigts ; l'étoile est légère, tiède et un peu molle.

– Il n'y a plus d'étoiles dans le ciel, fait remarquer Louis.

– Bien sûr, dit Mathilde, c'est le matin. Le soleil s'est levé.

– Mais pourquoi les étoiles sont-elles tombées ? D'habitude, quand

le jour se lève, elles se cachent dans le ciel et attendent le soir pour briller de nouveau.

– Gros malin ! grogne Mathilde en prenant des airs d'adulte, comme le fait parfois leur maman, le dos cambré et les mains sur les hanches. Ce ne sont pas les vraies étoiles, sinon elles brilleraient.

– C'est quoi, alors ? demande Louis.

– Je ne sais pas, avoue Mathilde.

Chapitre 2

Enquête et moqueries

Le frère et la sœur sont si intrigués par les étoiles qui couvrent le sol autour de leur maison qu'ils en oublient leur déjeuner. Louis se gratte la tête comme chaque fois qu'il réfléchit très fort.

– Tu crois qu'on devrait montrer ça à maman et papa quand ils viendront en fin de semaine ?

– Attendre quatre jours ? lance Mathilde. C'est bien trop long. Si nous allions voir professeur

Savant ? Il pourra peut-être nous renseigner.

– Bonne idée ! répond Louis. Allons lui montrer une étoile.

Quelques instants plus tard, ils sonnent à la porte de la maison du professeur Savant. Le vieil homme les accueille en pyjama, ses lunettes sur le bout du nez, son journal entre les mains.

– Professeur, regardez ! dit Mathilde en tendant l'étoile par-dessus le journal. Cette chose est tombée sur notre maison, ce matin.

– Vous croyez que c'est une étoile ? demande Louis.

– Mais non, réplique professeur Savant d'une voix chevrotante, ce n'est pas une étoile ; elle ne brille pas. Si cette chose est tombée du ciel, c'est un oiseau.

Le vieil homme se met à fixer le ciel. Louis chuchote à l'oreille de Mathilde :

– Je crois que professeur Savant est fou.

– Ou il se moque de nous.

– Allons voir monsieur le curé !

D'un pas rapide, les enfants abandonnent professeur Savant et se dirigent vers le centre du village, où se trouvent l'église et le presbytère. Le curé les reçoit en

grognant et en frottant sa lourde panse parce qu'il vient d'avaler un gros déjeuner.

Les enfants présentent de nouveau leur étoile.

–Mais non, répond le curé d'une voix agacée, ce n'est pas une étoile ; elle ne brille pas. Si cette chose est tombée du ciel, c'est un ange.

Le curé fixe le ciel. Mathilde et Louis s'éloignent.

– Monsieur le curé est toqué, maugrée Mathilde.

– Ou il se moque de nous.

– Allons voir le policier !

Et les enfants traversent tout le village pour se rendre au poste de police.

– Mais non ! dit le seul policier de la place en examinant la chose brune que Mathilde tient sous son nez. Ce n'est pas une étoile ; elle ne brille pas. Si cette chose est tombée du ciel, c'est un avion.

– Le policier se moque de nous, lui aussi, chuchote Louis à l'oreille de Mathilde.

Et comme pour lui donner raison, l'homme éclate d'un grand rire sonore.

– Je crois que je me suis trompé, admet Louis en baissant la tête. Tout le monde se moque de nous ; ce ne doit pas être une étoile.

–Je te l'avais bien dit, précise Mathilde. Mais on ne sait toujours pas c'est quoi, cette... chose.

Et ils s'en retournent chez eux, l'objet à la main, l'air désolé.

Chapitre 3

Le mystère s'éclaircit

En route vers la maison avec leur objet mystérieux, Mathilde et Louis retraversent les rues encore endormies. À un certain moment, ils croisent Pinso, celui que tout le monde surnomme l'idiot du village. Le jeune homme porte une chemise mauve, un pantalon trop grand retenu par de larges bretelles et des souliers usés à force de marcher dans les bois toute la journée. Depuis toujours, Pinso vit

seul dans une cabane près du pont.

Personne ne lui parle jamais. On dit qu'il est benêt et qu'il ne comprend rien. Et si personne ne lui parle, on l'écoute encore moins. On prétend qu'il ne dit que des sottises, de toute façon. Alors, Pinso prend rarement la parole.

– Oh ! vous avez trouvé une étoile ? s'étonne l'idiot.

– Oui, répond Mathilde, surprise d'entendre la voix de Pinso.

– Mais où l'avez-vous trouvée ? D'habitude, elles tombent chez moi. Aujourd'hui, il n'y avait rien autour de ma cabane.

– Elles sont tombées chez nous, dit Louis. Sur notre maison.

– Ce doit être à cause du tremblement de terre, affirme Pinso. Peut-être que le sol s'est un peu déplacé par rapport au ciel. Peut-être que, désormais, elles tomberont toujours chez vous. Vous

voulez que je vous aide à les remettre en place dans le ciel, ce soir ?

– Ce sont vraiment les mêmes étoiles que celles qui sont dans le ciel le soir ? s'étonne Mathilde d'un air incrédule.

– Évidemment, réplique Pinso en haussant les épaules. Chaque matin, quand le soleil apparaît, elles s'endorment et tombent sur

la terre. Chaque soir, quand le soleil se couche, elles s'éveillent et ont besoin d'aide pour retourner dans le ciel. Elles ne peuvent y aller toutes seules. Ce soir, je vous montrerai comment les replacer.

– Génial ! s'exclame Louis.

– Je ne te crois pas, dit Mathilde, les sourcils froncés. Tu es comme le professeur, le curé et le policier. Tu nous dis des bêtises. Tu te moques de nous.

Pinso a presque les larmes aux yeux.

– Vous aussi, vous pensez que je ne suis qu'un idiot, pas vrai ? Vous êtes comme tout le monde au village, vous croyez que je ne raconte que des stupidités. Pourtant, je ne mens jamais. Il n'y a que les gens méchants qui disent des mensonges.

– Moi, je te crois, confie Louis d'un ton sincère.

Le regard de Mathilde s'adoucit.

– Je sais que tu n'es pas méchant, Pinso. Excuse-moi. Mais depuis ce matin, personne ne nous prend au sérieux et ton histoire est si extraordinaire... C'est difficile d'y croire.

– Pourquoi ? demande Pinso. Pensez-y un peu : pourquoi les étoiles apparaissent-elles une par une dans le ciel, le soir ? Pourquoi ne se mettent-elles pas à briller

toutes en même temps ? Parce qu'il faut que je les lance une à la fois. Je ne peux pas toutes les replacer d'un seul coup.

La journée à l'école a paru interminable aux enfants. Ils avaient tellement hâte que la nuit tombe :

Louis, pour lancer les étoiles dans le ciel ; Mathilde, pour vérifier si Pinso leur a dit la vérité ou s'il n'est qu'un vulgaire idiot, comme tout le monde le pense.

À leur arrivée à la maison, la cour était toujours couverte d'étoiles brunes. Ils ont mangé, lavé la vaisselle, fait leurs devoirs et sont vite retournés dehors, où Pinso les attendait, assis au milieu des étoiles.

Depuis un moment, les trois amis fixent le ciel. Ils sont impatients. Ils ne souhaitent plus qu'une chose : que le soleil daigne enfin se coucher. À mesure que le ciel s'obscurcit, les enfants doivent bien se rendre à l'évidence : il n'y a, en effet, aucune étoile dans le firmament. Pendant ce temps, tout autour de la maison, les étoiles brunes prennent une teinte plus

vive et se mettent lentement à briller. Mathilde et Louis n'en reviennent pas. Bientôt, les étoiles scintillent comme des milliers de lumières de Noël qu'on aurait oubliées par terre. Toute la cour est illuminée.

– Wow ! s'écrie Louis, émerveillé.

Pinso s'empare de la branche d'une première étoile qu'il lance dans les airs. Aussitôt, celle-ci se

colle à la voûte céleste et se met à scintiller. C'est la première étoile du soir.

– Alors, vous m'aidez, demande l'idiot, ou bien je dois faire le travail tout seul ?

Mathilde pousse un grand éclat de rire et s'empare d'une autre étoile. Elle est surprise de constater que, bien qu'elle scintille, celle-ci n'est pas très chaude. La

fillette ne ressent qu'un pétillement au bout de ses doigts. Elle lance à son tour l'étoile de toutes ses forces. Celle-ci monte, monte, monte... puis, comme la première, demeure en place et brille dans le ciel. Louis se met de la partie et tous les trois lancent les étoiles.

– C'est formidable ! s'écrie Louis, qui saute de joie.

– C'est merveilleux ! renchérit Mathilde, frissonnant de bonheur.

Comme il y a beaucoup d'étoiles à replacer, la fête dure un bon moment.

Tard dans la soirée, plus une seule étoile ne jonche le sol. Tout est redevenu noir autour de la maison. Le ciel, quant à lui, brille de tous ses feux retrouvés.

Mathilde et Louis tapent des mains, émerveillés du travail qu'ils ont accompli.

Chapitre 4

Les jolies nuits étoilées

Au-dessus du petit village, toutes les étoiles brillent dans le ciel noir. Pinso, Louis et Mathilde, le nez en l'air, continuent d'admirer le spectacle.

– C'est vraiment magnifique ! s'exclame la fillette. J'espère qu'on aura encore l'occasion de t'aider.

– Oh, mais vous n'avez plus le choix, répond Pinso. Ce sera à vous, maintenant, tous les soirs, de replacer les étoiles dans le ciel.

– Tous les soirs ? répète Mathilde, l'air soudain inquiet.

– Pour toujours ? demande Louis.

– Jusqu'au prochain tremblement de terre, sans doute, suppose Pinso.

Mathilde fronce les sourcils.

– Mais tous les soirs, c'est beaucoup de travail. Je ne suis pas certaine de...

– Et si on ne le fait pas ? intervient Louis.

Pinso hausse les épaules.

– Eh bien, le ciel au-dessus de notre village et de notre forêt n'aura plus d'étoiles la nuit. Les oiseaux migrateurs ne pourront plus s'orienter, la lune sera toute seule pour éclairer les bois et la campagne. Partout dans le monde, les gens continueront d'avoir de jolies nuits étoilées, sauf ici.

D'une voix hésitante, Mathilde dit :

– Mais, nos parents, est-ce qu'ils seront d'accord pour que nous

accomplissions ce travail tous les soirs ?

– Ils comprendront que c'est votre devoir, souligne Pinso. Puisqu'ils travaillent en forêt, ils connaissent l'importance d'un ciel étoilé. Ils savent qu'un ciel noir est laid, presque effrayant.

– On n'a pas le choix ! soupire Mathilde, l'air résigné.

– Non, en effet, dit Pinso. Ce serait vraiment trop affreux pour les gens d'ici de ne plus avoir de nuits étoilées.

– Ne pourrait-on pas donner ce travail à quelqu'un d'autre ? suggère Louis.

– Non, répond Pinso, car c'est sur votre maison que les étoiles tombent. Alors, c'est à vous de les replacer. Chaque fois que le soleil

se couche quelque part dans le monde, des gens que le hasard a désignés, comme vous, retournent les étoiles dans le ciel. C'est ainsi.

Mathilde réfléchit et se sent soudain très fière de la grande responsabilité dont elle vient d'hériter.

– Tu as raison, dit-elle. Je fais le serment d'être là tous les soirs, été

comme hiver, afin que jamais les oiseaux, la lune, les gens de la campagne et ceux de la forêt ne manquent d'étoiles dans leur ciel.

– Sauf les soirs où il y aura des nuages, précise Louis.

– Ces soirs-là, vous pourrez prendre congé, approuve Pinso en souriant.

Et tous les trois éclatent de rire, en levant leur visage vers le ciel où les étoiles brillent de leurs plus beaux feux.

Dans la même collection

1 **Lancelot, le dragon (Anique)**
Anique Poitras

2 **David et le Fantôme**
François Gravel

3 **Le petit musicien**
Gilles Tibo

4 **David et les monstres de la forêt**
François Gravel

5 **Sauvez Henri !**
Yvon Brochu

6 **David et le précipice**
François Gravel

7 **Le sixième arrêt (Somerset)**
Hélène Vachon

8 **Le petit avion jaune (Léonie)**
Mireille Villeneuve

9 **Choupette et son petit papa**
Gilles Tibo

10 **David et la maison de la sorcière**
François Gravel

11 **J'ai un beau château (Peccadille)**
Marie-Francine Hébert

12 **Le grand magicien**
Gilles Tibo

13 **Isidor Suzor (Anique)**
Anique Poitras

14 Le chien secret de Poucet
Dominique Demers

15 Entre la lune et le soleil
Nancy Montour

16 David et l'orage
François Gravel

17 Marie Louve-Garou (Anique)
Anique Poitras

18 Des étoiles sur notre maison
Camille Bouchard

19 Dessine-moi un prince (Peccadille)
Marie-Francine Hébert

20 Le cœur au vent
Nancy Montour

21 Mon plus proche voisin (Somerset)
Hélène Vachon

Achevé d'imprimer en août 2003
sur les presses de Imprimerie L'Empreinte inc.
à Ville Saint-Laurent (Québec)